MINDFULNESS
O DIÁRIO

MINDFULNESS
O DIÁRIO

*Companhia indispensável
para um dia sem estresse*

CORINNE SWEET

Ilustrado por
Marcia Mihotich

Tradução
Patrícia Azeredo

1ª edição

Rio de Janeiro | 2015

CIP-BRASIL. CATALOGAÇÃO NA FONTE
SINDICATO NACIONAL DOS EDITORES DE LIVROS, RJ

Sweet, Corinne
S978m   Mindfulness: o diário / Corinne Sweet ; tradução Patrícia Azeredo. - 1. ed. - Rio de Janeiro : Best*Seller*, 2015.
il.

Tradução de: The Mindfulness Journal
ISBN 978-85-7684-909-4

1. Atenção plena. 2. Técnicas de meditação. I. Título.

15-19188   CDD: 158.1
                                                                               CDU: 159.947

Texto revisado segundo o novo Acordo Ortográfico da Língua Portuguesa.

THE MINDFULNESS JOURNAL
Copyright © 2014 by Corinne Sweet
Copyright da tradução © 2015 by Editora Best Seller Ltda.
Copyright das ilustrações © 2014 by Marcia Mihotich

Publicado mediante acordo com Pan Macmillan, um selo da Macmillan Publishers Limited.

Adaptação de capa e editoração eletrônica: Renata Vidal

Todos os direitos reservados. Proibida a reprodução,
no todo ou em parte, sem autorização prévia por escrito da editora,
sejam quais forem os meios empregados.

Direitos exclusivos de publicação em língua portuguesa para o Brasil adquiridos pela
EDITORA BEST SELLER LTDA.
Rua Argentina, 171, parte, São Cristóvão – Rio de Janeiro, RJ – 20921-380
que se reserva a propriedade literária desta tradução

Impresso no Brasil

ISBN 978-85-7684-909-4

Seja um leitor preferencial Record.
Cadastre-se e receba informações sobre nossos lançamentos e nossas promoções.

Atendimento e venda direta ao leitor
mdireto@record.com.br ou (21) 2585-2002

Para Joan (1928-2013) e
Leslie Sweet (1916-1996),
que me fizeram perceber a
importância de viver o presente.

O QUE É *MINDFULNESS*?

Reserve um momento e pare.
Observe a sua postura.
Tenha consciência da própria respiração.
Consegue sentir o seu corpo?
Sente alguma dor ou tensão em algum lugar?
A sua mente está acelerada ou você está calmo?
Está confortável ou um pouco tenso?
Sente calor? Frio? Ou a temperatura está ideal?
Está com fome ou sede?
Como você está realmente se sentindo neste segundo?
Irritado? Feliz? Triste? Entediado? Tranquilo?

É disso que trata o *mindfulness*.

Mindfulness diz respeito a estar totalmente NO PRESENTE. É uma questão de perceber, *neste segundo*, como você se sente, o que pensa e o que deseja, sem críticas ou julgamentos.

É aprender a perceber tudo o que se passa em sua mente, em seu corpo e no ambiente ao seu redor: os ruídos de seu estômago, o movimento das costas, o ato de travar a mandíbula, a chuva na janela, as nuvens no céu, o ronronar do gato, as flores no jardim, o sorriso de seu filho, o som de um trem distante, o tráfego na rua, um pássaro cantando num galho, a coceira no nariz, o zumbido do computador ou o gosto de um quadradinho de chocolate derretendo na língua.

Mindfulness diz respeito a perceber tudo em um determinado momento.

É uma questão de aprender a concentrar a atenção no presente. Neste exato segundo. Neste milissegundo. AGORA.

É uma questão de **viver no momento presente**.

Paradoxo perdido

Fazer isso parece simples. Contudo, muitos de nós sentimos bastante dificuldade em dominar esta prática.

Exige esforço. Decisão. E prática regular.

O paradoxo é: _algo bem simples pode ser muito difícil de fazer._

No entanto, com o tempo e a prática diária e constante, este paradoxo se perde à medida que você gradualmente adquire esta habilidade.

Com _mindfulness_.

O _mindfulness_ é:

* estar presente
* uma forma de se concentrar no agora
* uma forma de acalmar os pensamentos
* um meio eficaz de relaxar
* uma forma de liberar a criatividade
* uma forma de melhorar a saúde física e emocional
* uma forma de adquirir compaixão e empatia

POR QUE PRATICAR O *MINDFULNESS*?

Um conjunto cada vez maior de evidências — psicológicas, fisiológicas e científicas — atesta que nossa vida caótica, cheia de pressões e estresse 24 horas por dia, sete dias por semana, está nos fazendo um mal imenso.

Muitos de nós sofremos com problemas de saúde física e mental que podem ser significativamente melhorados se reservarmos um tempo para diminuir o ritmo e simplesmente aprender a respirar.

O *mindfulness* pode ajudar você a ficar mais calmo, tranquilo e concentrado.

Mindfulness não tem por objetivo eliminar o estresse, uma vez que ele faz parte da vida, mas pode nos ajudar a lidar com esse e outros desafios com mais eficácia. Foi provado que ela ajuda a diminuir o estresse, a ansiedade e a depressão, e pode até aliviar alguns sintomas de doenças como a síndrome da fadiga crônica, transtornos alimentares, câncer, dor crônica e distúrbios do sono.

O *mindfulness* é agora reconhecida pelo NICE (sigla em inglês para o Instituto Nacional de Excelência na Saúde e no Cuidado Médico[1]) como forma eficaz de terapia para lidar com o es-

---

1 Órgão de saúde pública no Reino Unido responsável por aprovar novos medicamentos e tratamentos para uso no país, cujas funções equivalem às da Anvisa no Brasil. (*N. da T.*)

tresse físico e psicológico. Consequentemente, clínicos gerais, hospitais, organizações de pais, escolas, serviços de assistência social e outros órgãos públicos estão oferecendo treinamentos em *mindfulness* e ajudando pessoas a meditar. A meditação diminui a velocidade da mente e permite se concentrar com calma no aqui e agora, sendo assim o principal caminho consciente para chegar a um estado de *mindfulness*.

MINDFULNESS E TERAPIA COGNITIVA

No Oriente, a meditação e o *mindfulness* são práticas do budismo há quase 3 mil anos e, nos últimos dois séculos, tais ideias se espalharam para o Ocidente. A meditação se tornou algo associado ao movimento de contracultura hippie das décadas de 1960 e 1970, mas seus benefícios se infiltraram na sociedade como um todo por meio da Nova Era e de outras terapias complementares, como medicina alternativa e práticas de Yoga.

No Ocidente, o surgimento das "terapias pela fala" no início do século XX, como a psicanálise de Freud e Jung e depois o behaviorismo de Skinner e Ellis, ofereceu às pessoas uma forma de entender suas dificuldades e pressões. A partir dessas duas abordagens, o ramo humanista da psicoterapia evoluiu para terapias como Gestalt, abordagem centrada na pessoa e psicossíntese. Esse tipo de trabalho geralmente é feito com terapeutas de modo individual ou em grupo.

Muitas dessas terapias se concentram em entender o passado como forma de ir além. Ou, nas muito citadas palavras de Sócrates: "A vida não examinada não vale a pena ser vivida." Contudo, várias pessoas agora veem grande valor em concentrar o foco terapêutico no presente em vez de no passado, a fim de progredir com mais eficácia.

No século XXI, a Terapia Cognitiva Comportamental (TCC) se popularizou como forma de ajudar as pessoas a enfrentarem problemas de ansiedade, depressão, estresse e vícios. A TCC geralmente é considerada uma forma de desenvolver um músculo mental voltado para o positivo de modo a lidar com os problemas do dia a dia. Ela combate o pensamento negativo e defende a responsabilidade individual. Também fornece soluções mais rápidas com base em objetivos, em vez do prazo mais longo da "terapia pela fala" psicoterapêutica. A TCC pode ser acessível através de encaminhamento feito pelo clínico geral e há profissionais particulares disponíveis para quase todos os tipos de terapia. Elas podem ser muito eficazes, especialmente para resolver um problema imediato e urgente, como um vício ou pensamento obsessivo.

A evolução dessa mistura de práticas orientais e ocidentais levou à criação da Teoria Cognitiva Baseada no *Mindfulness* (mais conhecida pela sigla em inglês, MBCT) e da Redução do Estresse Baseada no *Mindfulness* (MBSR, na sigla em inglês), que se mostraram extremamente eficazes na redução da ansiedade, da depressão, de vícios, de dores, de doenças e de estresse. A MBCT é uma forma de retreinar a mente para funcionar de modo diferente, utilizando técnicas do budismo e da meditação. A MBSR também utiliza técnicas de Yoga. As duas práticas enfatizam a vivência pessoal e direta de exercícios específicos, que serão aprendidos neste livro. Quanto mais você fizer os exercícios, mais plenamente atento e tranquilo ficará.

A boa notícia é que é possível aprender isso sozinho, com este livro, hoje.

O *mindfulness* pode ser de imensa ajuda para você, e praticá-la é totalmente grátis.

POR QUE O *MINDFULNESS* ESTÁ SE POPULARIZANDO?

Um nome fundamental para o desenvolvimento desta área é Jon Kabat-Zinn, que abriu uma clínica de redução do estresse na Universidade de Medicina de Massachusetts em 1979. Ele era biólogo molecular e abandonou a carreira científica a fim de utilizar sua experiência de meditação zen e Yoga para ajudar os pacientes.

Kabat-Zinn queria ver se os pacientes poderiam melhorar física e mentalmente como resultado da meditação, além de apresentar a meditação de *mindfulness*, princípio máximo da prática budista, a um público mais amplo no Ocidente.

O livro *Full Catastrophe Living* descreve esse trabalho pioneiro e os resultados impressionantes alcançados por ele ao ensinar meditação de *mindfulness* a pessoas com doenças crônicas, estresse e dores.

QUAIS SÃO AS PROVAS
DE QUE ISSO FUNCIONA?

Há um número cada vez maior de provas científicas atestando a eficácia do *mindfulness*. Estudos realizados no mundo inteiro mostraram que meditar regularmente:

* diminui a ansiedade e a depressão
* aumenta a imunidade a resfriados, gripes e outras doenças
* reduz a dor crônica, inclusive a causada pelo câncer
* aumenta a sensação de "felicidade", de "positividade"; além disso, quem medita regularmente é mais feliz do que a média
* alivia o estresse e os estressores que levam à hipertensão e doenças cardíacas
* aumenta a concentração, a memória e o vigor físico

No geral, considera-se que os efeitos "positivos" da meditação de *mindfulness* podem levar a uma vida mais longa e saudável.

COMO POSSO COMEÇAR?

É possível começar com apenas cinco minutos, bastando ter um cronômetro, uma cadeira de encosto alto e um lugar tranquilo.

Meditação básica

Vá para o seu lugar tranquilo e deixe bem claro para os outros que não deseja ser interrompido. Coloque uma placa na porta. Deixe o telefone no modo silencioso. Configure o cronômetro para tocar em cinco minutos.

Sente-se confortavelmente, com as costas apoiadas e as mãos nas coxas ou no colo. Feche os olhos. Inspire lentamente e pense "subindo" enquanto o ar entra pelo nariz. Expire lentamente e pense "descendo" enquanto o ar sai pela boca. Concentre a atenção da mente bem no meio da testa.

Continue a respirar, pensando "subindo" na inspiração, e "descendo" na expiração. Caso sinta alguma coceira ou incômodo, deixe para lá. Quando a mente devanear em pensamentos aleatórios, traga-a gentilmente de volta ao ponto central no meio da testa.

Quando o cronômetro apitar, abra os olhos lentamente. Pare por um segundo e perceba como você se sente. Alongue braços e pernas, levante-se e alongue-os novamente. Faça uma pausa por um segundo. Entre em sintonia com a sua mente, com o corpo e com os sentimentos. Como você se sente?

PRÁTICA DIÁRIA FREQUENTE

Comece devagar.

Experimente a meditação básica de cinco minutos por dia durante uma semana. Depois passe para dez minutos e, em seguida, 15. Quando a técnica ficar mais familiar, será possível meditar por meia hora e depois uma hora.

Uma das partes cruciais da meditação de *mindfulness* consiste em direcionar a atenção para o ponto localizado no meio da testa. Esta atividade ajuda a criar novos caminhos neuronais no cérebro, literalmente retreinando a mente para ser mais concentrada e calma.

Este é apenas um exercício básico de meditação para ajudar a começar. À medida que você avançar, poderá usar mais formas de alcançar o *mindfulness* por meio de outras meditações, visualizações e atividades. Você vai acabar conseguindo fazer uma pausa de cinco minutos para meditar sempre e quando sentir necessidade de concentração.

É possível aumentar ou diminuir o tempo e escolher exercícios adequados à sua situação, independentemente de você estar no carro, no metrô, andando, tendo uma noite de insônia, na sala de espera do médico ou chegando ao trabalho. Pode-se meditar em qualquer local onde você se sinta pressionado e necessite de calma. Reserve um tempo para isso e não abra mão dele.

Conheça a si mesmo: seja realista em relação a quando e como praticar. Coloque o alarme para despertar e levante dez minutos mais cedo ou medite na cama antes de dormir, quando todas as tarefas do dia forem feitas.

No início, você poderá sentir que não dispõe de tempo. Contudo, depois de criar o hábito, vai descobrir que as recompensas serão suficientes para motivá-lo a reservar aquele tempinho e fazer com que o dia seja melhor como um todo.

Caso você sinta dificuldade de se concentrar, não se preocupe. Não desista. Essa é uma habilidade nova e leva um tempo para se acostumar a ela. Você não conseguiu andar de bicicleta logo de primeira. Precisou aprender a nadar ou a dirigir. Dê um tempo para se acostumar ao processo e logo você pegará o jeito. Seja paciente consigo mesmo durante o aprendizado.

Apenas experimente. Depois, tente de novo. E mais uma vez. Logo você conseguirá meditar, e vai gostar da prática.

Não abra mão

A regularidade é fundamental. Tudo indica que a regularidade é a chave para ganhar benefícios. O poder está no efeito cumulativo de desacelerar a mente, acalmando a ansiedade e os pensamentos repetitivos ou perturbadores.

Se você não meditar em um determinado dia, não se critique por isso. Encare a meditação de *mindfulness* com uma atitude positiva e gentil em relação a si mesmo.

Não se julgue, castigue ou repreenda por ter esquecido ou ter encontrado dificuldades para meditar. Basta recomeçar amanhã caso você não tenha praticado hoje.

Meditar por apenas dois minutos pode fazer toda a diferença em seu bem-estar mental.

Lembre-se: a regularidade é crucial para obter todos os benefícios.

OS BENEFÍCIOS

Há muitas provas atestando os benefícios obtidos pela meditação de *mindfulness*, baseadas em estudos psicológicos e neurocientíficos realizados em todo o mundo.

* **Diminui o estresse**, alterando positivamente a atividade cerebral;
* **Alivia a dor** ao controlar o seu volume e o das emoções, beneficiando quem sente dores crônicas causadas por doenças como artrite, câncer e lúpus;
* **Acalma**, aumentando a capacidade de se concentrar, enfrentar dificuldades e controlar as reações diante de situações desafiadoras;
* **Deixa a música ainda mais agradável**, ajudando você a apreciar verdadeiramente músicas e sons, permitindo relaxar ao ouvi-los;
* **Melhora o gosto da comida**, aumentando a capacidade de saborear e apreciar os alimentos. À medida que você desacelera, poderá até consumi-los em menor quantidade;
* **Pode ajudá-lo a se identificar melhor** consigo mesmo e com os outros, desenvolvendo a empatia;
* **Pode ajudá-lo a se aceitar**, facilitando para que os outros se relacionem com você;
* **Pode melhorar a concentração mental**, ajudando a estudar e melhorando o desempenho em testes cognitivos e de memorização;

* **Pode melhorar a memória**, agindo como força protetora das atividades cerebrais e protegendo contra a perda de memória;

* **Pode melhorar o desempenho**, aumentando a concentração e a confiança;

* **Pode ajudar a enfrentar o câncer**, deixando você mais calmo e reduzindo o estresse causado pelos tratamentos médicos;

* **Pode ajudar a lidar com pensamentos obsessivos e viciantes** ao dar um curto-circuito nos ciclos repetitivos e viciantes de pensamento obsessivo;

* **Pode aumentar a imunidade**, melhorando a capacidade de resistir a resfriados, gripes e outras doenças.

SER *VERSUS* FAZER

A vida moderna é totalmente voltada para o **FAZER**.

"O que você vai fazer hoje?"

"O que você vai fazer hoje à noite?"

"O que você vai fazer no fim de semana?"

"O que você está fazendo agora?"

Corremos para o trabalho em trens, ônibus e carros, e quando ficamos presos no trânsito ou em filas nossa frustração se acumula, pois não conseguimos chegar rápido o suficiente aonde precisamos.

Economizamos tempo comendo fast-food no caminho, no escritório e no carro, e até em casa: praticamente não há tempo para cozinhar ou parar e comer socialmente com outras pessoas.

Viramos pessoas multitarefa para cumprir uma lista cada vez maior de afazeres, conferindo o telefone enquanto falamos com amigos, sempre de cabeça baixa e grudados à tela, em vez de fazer contato visual ou se envolver totalmente com o ambiente e as pessoas ao redor.

Mindfulness significa aprender a **SER**, não a **FAZER**.

SER é uma questão de:

* andar, olhar e ouvir — sentir o ar, a luz, a vista, a natureza, os prédios, as pessoas;
* ficar sentado em silêncio;
* sentar-se em um jardim e olhar as flores, o céu, os insetos, as nuvens ou os seus animais de estimação;
* observar o fluxo do rio ou do mar;
* reservar alguns minutos para ficar deitado na cama antes de iniciar a correria diária;
* sentar-se com um bebê no colo, abraçando seu filho ou ente querido;
* ficar deitado ao sol, de olhos fechados, respirando e ouvindo o zumbido de uma abelha.

Ser é apenas uma questão de estar no momento.

AGORA.

DEIXE ESTE LIVRO SER SEU GUIA

Este diário irá ajudá-lo a praticar o *mindfulness*. Seja com um exercício, uma citação que faça pensar, uma ilustração ou com um espaço em branco para as suas anotações, as páginas deste livro oferecem uma pequena janela para ajudar você a encontrar a paz diária e a calma interior. Mergulhe, volte à tona, repita os exercícios de que mais gosta e preencha as páginas em branco com seus pensamentos e rabiscos.

Vá sem pressa. Ensinar a mente a se acalmar exige prática, mas logo você colherá os benefícios. O mais importante é: coloque--se em primeiro lugar. Arrume tempo para o *mindfulness* todos os dias, pelo bem da saúde física e emocional. Ela irá melhorar a sua relação consigo mesmo e com as pessoas ao seu redor.

Aproveite estes exercícios.

Tenha *mindfulness*.

COMECE O DIA

Iniciar com mindfulness *pode ajudar você a se concentrar e se preparar para o dia cheio que está por vir. De manhã, reserve um tempo a mais para se aprontar.*

Embaixo do chuveiro, permita-se sentir a água quente no corpo. Deixe o calor acordar seus músculos e imagine as preocupações sendo lavadas com a água. Sinta o cheiro do sabonete e deixe o perfume revigorá-lo. Desligue o chuveiro por uns instantes e sinta a pele formigar com a água fria.

Quando terminar o banho, aprecie a sensação da toalha seca contra a pele molhada. Tenha consciência do quanto você se sente limpo e renovado.

Reserve um tempo para tomar café da manhã bem devagar, sem televisão, rádio ou e-mails. Mesmo se for apenas uma fruta ou torrada, saboreie pelo menos uma parte dessa refeição. Sinta a textura do alimento e o gosto na boca.

Verifique se está com tudo de que precisa antes de ir. Tente não se apressar. Sorria para você mesmo. Saia de casa e vá para o trabalho disposto a enfrentar o dia.

"A liberdade interior nos permite saborear a lúcida simplicidade do momento presente, livre do passado e emancipado do futuro."

Matthieu Ricard, *Felicidade: a prática do bem-estar*

CAMINHADA COM *MINDFULNESS*

Fazer uma caminhada simples e curta ao longo do dia pode ser útil para organizar os pensamentos.

Ande em um ritmo confortável e constante. Respire regularmente de acordo com o ritmo da caminhada. Balance os braços, mas não muito: apenas o bastante para relaxar os ombros e obter um leve impulso.

Perceba o ambiente ao redor: a luz do céu; as formas das nuvens, das árvores e das folhas; as cores das portas, dos carros e das casas. Sinta os pés quando eles tocarem o chão e sinta o peso dos braços quando balançarem ao lado do corpo. Perceba o equilíbrio da coluna vertebral e mantenha a cabeça erguida enquanto anda.

Mantenha a atenção no que você vê, nos odores que sente e naquilo que ouve. Tenha consciência de todo o seu corpo andando. Fique presente.

"Eu vagava qual nuvem flutuando
Por sobre o vale e o monte em solidão,
Quando vi de repente uma
hoste, um bando
De narcisos dourados pelo chão..."

William Wordsworth, *Eu vagava qual nuvem flutuando*

PENSAMENTOS ACELERADOS

Às vezes a mente acelera de tanta preocupação e não conseguimos dormir à noite. Em vez de ficar remoendo um problema, afaste--se dele.

Configure o cronômetro para tocar em vinte minutos. Sente--se confortavelmente em uma cadeira ou deite-se. Visualize os seus pensamentos pulando como feijões saltadores, bolas de basquete ou macacos de galho em galho. Perceba a "agitação" dos pensamentos e observe o movimento deles. Concentre-se na respiração, pense "subindo" quando inspirar, e "descendo" quando expirar.

Volte aos seus pensamentos: perceba se eles desaceleraram um pouco. Se ainda estiverem acelerados, volte à respiração. Continue a inspirar e expirar, conferindo os pensamentos de tempos em tempos e percebendo que eles estão desacelerando cada vez mais. Perceba eventuais desconfortos no corpo e respire neles.

Quando o alarme do cronômetro tocar, não se mexa por alguns instantes e deixe a consciência voltar lentamente. Perceba onde você está e que suas costas estão apoiadas. Tudo está bem.

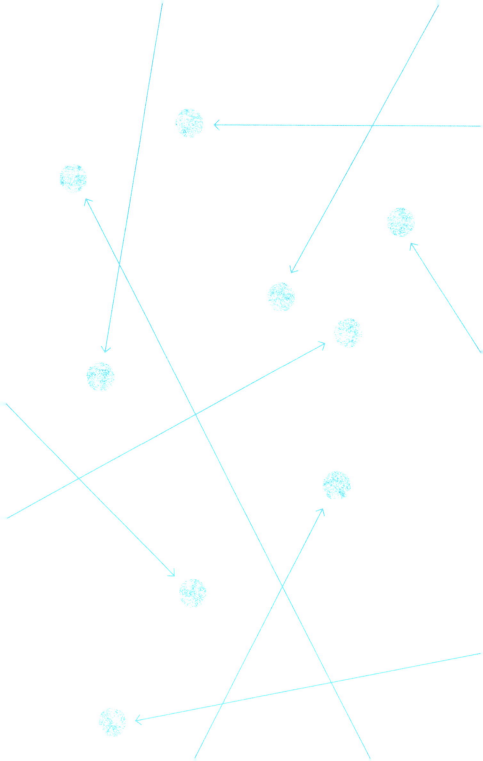

CRIE UM ESPAÇO TRANQUILO

Casas são lugares agitados, com pessoas entrando e saindo o tempo todo. Certifique-se de criar um local tranquilo para meditar ou apenas sentar-se confortavelmente e ficar lá. Pode ser no quarto, em um canto da sala ou até no banheiro. Consiga os seguintes itens:

Uma cadeira larga e de encosto alto, cama ou tapete para Yoga.

Um lençol.

Um cronômetro (opcional).

Velas (opcional).

Um cartaz para colocar na porta, dizendo: "Por favor, não perturbe."

"Vire o rosto para o sol e as sombras cairão atrás de você."

Provérbio maori

COMO LIDAR COM EMOÇÕES DIFÍCEIS

(De vinte a trinta minutos)

Arrependimentos, perdas, ressentimentos, raiva, conflitos. Seja qual for a causa, é importante dar espaço aos sentimentos, sem deixar que eles tomem conta de você.

Configure o cronômetro para tocar em vinte minutos ou em meia hora. Sente-se confortavelmente em uma cadeira de encosto alto ou fique deitado.

Feche os olhos e concentre-se na respiração. Perceba os seus braços, pernas e plexo solar (abaixo das costelas): observe eventuais áreas de desconforto e respire nelas. Continue a respirar em ritmo constante e deixe a mente se aquietar.

Permita que um pensamento "difícil", como um ressentimento ou uma perda, venha à tona. Permita que ele ocorra por um momento, em seguida deixe que vá embora, imaginando este pensamento como uma borboleta voando para longe de você. Traga a consciência de volta para a respiração. Inspire e expire profundamente.

Se o pensamento difícil continuar em sua mente, volte para ele e repita o passo de deixá-lo ir embora como uma borboleta. Continue até o pensamento se libertar e ir embora.

Volte a atenção para o centro de sua testa e respire até o alarme do cronômetro tocar.

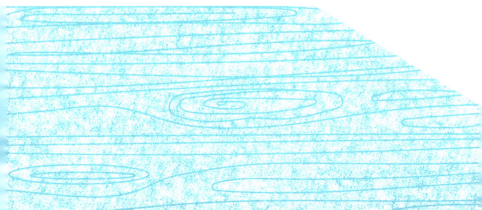

"Ajudar as pessoas a lidar melhor com sentimentos incômodos como raiva, ansiedade, depressão, pessimismo e sensação de solidão é uma forma de prevenir doenças [...] ajudar as pessoas a lidar melhor com [eles] tem, potencialmente, um ganho clínico tão grande quanto conseguir que os fumantes deixem de fumar."

Daniel Goleman, *Inteligência emocional*

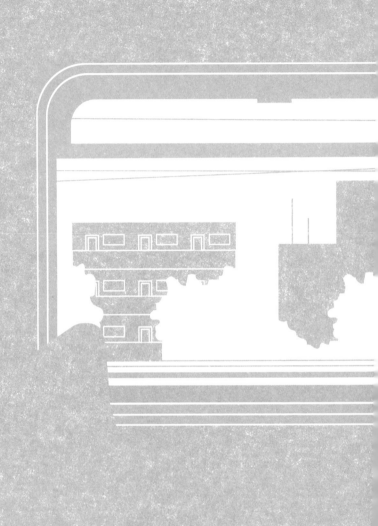

O IR E VIR DO TRABALHO

Atrasos, cheiros, o corpo dos outros passageiros esmagando o seu, o ruído dos aparelhos eletrônicos e músicas. Tudo isso pode ser demais. Olhe para dentro de si mesmo a fim de obter uma experiência mais reconfortante.

Desligue seus equipamentos eletrônicos e deixe o livro de lado. Olhe ao redor e descubra uma vista, paisagem ou as luzes piscantes no interior de um túnel. Suavize o foco. Respire fundo e expire.

Feche os olhos. Desloque a atenção para o ritmo do trem e o som das portas abrindo e fechando. Quando as pessoas se mexerem para mudar de lugar, deixe o corpo fluir com a multidão. Crie o seu espaço interior atrás dos olhos e concentre-se na respiração.

Abra os olhos. Direcione o olhar para a vista lá fora, mas não se concentre em nada. Tome consciência dos sons ao redor e ouça, com *mindfulness*, a sua parada. Quando chegar ao destino, dissolva-se na multidão e desça.

"No fim das contas, apenas três coisas importam: o quanto vivemos bem, o quanto amamos bem e o quanto aprendemos a abrir mão."

Jack Kornfield

ACALME OS NERVOS

Antes de uma entrevista, um telefonema ou uma apresentação importante, um pouco de mindfulness *ajuda muito. Eu sempre faço esta meditação quinze a vinte minutos antes de aparecer na televisão ou rádio.*

Encontre um local tranquilo e com privacidade onde você possa ficar confortável por cinco minutos. Sente-se e feche os olhos. Inspire e expire profundamente. Perceba onde está a tensão em seu corpo: frio na barriga, dentes trincados, rigidez no pescoço, fraqueza nos joelhos, taquicardia. Inspire e expire profundamente cinco vezes. Faça cada respiração ser mais profunda que a anterior.

Eleve os ombros na direção das orelhas e deixe-os cair. Repita o gesto por três vezes. Respire. Tenha consciência de sua mandíbula, das mãos e dos pés firmes no chão.

Abra bem a boca, como se fosse um gato bocejando, depois relaxe. Boceje se puder: é uma excelente forma de liberar a tensão. Inspire, expire. Abra os olhos. Sorria.

Pouco antes de enfrentar a situação temida, feche os olhos e concentre-se na respiração. Não fique de papo-furado com ninguém nem leia para se "distrair". Sorria quando estiver diante de seu desafio e faça contato visual.

PEÇA O QUE VOCÊ QUER

Pode ser muito difícil pedir o que você quer em um relacionamento. Talvez você tenha medo de ser rejeitado ou julgado. Contudo, é essencial que você se sinta tranquilo em relação ao direito de pedir.

Fique em pé tranquilamente por um momento e observe o que está tentando comunicar. Identifique seus sentimentos. Que sensações você tem no corpo? Formigamentos? Tensões? Tenha consciência delas.

Esvazie a mente. Concentre-se na respiração: inspire e expire profundamente. A cada inspiração, mantenha a coluna ereta e acerte a postura. A cada expiração, sinta o tórax se expandir. Sinta-se mais reto e sólido. Sinta o chão firme embaixo dos seus pés também firmes.

Agora vá e peça o que você quer.

"Dizer olá corretamente é ver a outra pessoa, ter consciência dela como um fenômeno, acontecer para o outro e estar pronto para que o outro aconteça para você."

Eric Berne, *O que você diz depois de dizer olá?*

UM DIA LONGO NO TRABALHO

É fácil ser engolido pela cultura de trabalhar até tarde. Fazer pausas regulares de mindfulness *pode ajudar a desestressar e recuperar a concentração.*

Ande com *mindfulness* até o banheiro ou cozinha. Mantenha o corpo reto, alongue-se e perceba como você coloca os pés no chão, um após o outro. Perceba o balanço dos braços e a sensação do corpo enquanto você anda.

Quando voltar à mesa, reserve um momento para alongar: sinta os braços, pernas, dedos das mãos e dos pés esticarem totalmente. Sente-se encostado na cadeira e jogue a cabeça para um lado, depois para o outro. Olhe para o teto e, em seguida, para o chão. Sinta o pescoço alongar, sinta-se ficando mais alto. Feche os olhos e descanse-os. Exercite o rosto e a boca abrindo-a bastante, como se estivesse prestes a morder uma maçã ou cantar. Abra os olhos.

Sente-se com a coluna ereta na cadeira e sinta-se centrado. Continue a trabalhar.

A VOLTA PARA CASA

Após um dia cheio no trabalho ou se divertindo, volte para casa e reserve um tempo para "chegar" de verdade.

Vá para o banheiro e feche a porta. Vista algo confortável ou fique nu. Deite-se com os braços e pernas abertos e feche os olhos.

Dê um grande e profundo suspiro. Perceba as partes do corpo que estão doendo, cansadas, quentes ou frias, doloridas ou descansadas. Inspire profundamente e sinta os pulmões se encherem de ar. Expire, soprando o ar pelos lábios. Repita.

Alongue-se ainda mais. Estique os braços e as pernas, mexa os dedos das mãos e dos pés. Perceba para onde a mente vai, relembrando eventos do dia, e deixe os pensamentos voarem como folhas ao vento. Respire fundo, soltando o ar ruidosamente e por um longo tempo.

Ouça os sons da casa e do mundo lá fora e deixe-os ir embora. Respire fundo, mais uma vez soltando o ar ruidosamente por um bom tempo.

Abra os olhos. Perceba a luz e ganhe consciência do ambiente a seu redor.

"Se você quiser que os outros sejam felizes, pratique a compaixão. Se você quiser ser feliz, pratique a compaixão."

Dalai Lama

MAL-ENTENDIDOS

Relacionamentos podem se complicar quando uma pessoa supõe que a outra "deveria" entendê-la sem necessidade de explicações. Na verdade, precisamos educar nossos parceiros, amigos e familiares sobre quem somos. Experimente este exercício antes de iniciar calmamente uma discussão.

Sente-se em algum lugar confortável, inspire e expire. Ponha o foco na respiração. Sinta o coração e os pulmões crescerem a cada inspiração. Sinta-se mais amigável e aberto enquanto respira.

Tenha compaixão ao pensar na outra pessoa. Identifique duas coisas nela pelas quais você é grato. Perceba eventuais sentimentos negativos e deixe-os vir à tona, mas não se concentre neles. Fique no presente, com os motivos para sentir gratidão. Aceite que a visão da outra pessoa é diferente da sua. Respeite isso.

"Boa parte do amor consiste em perdoar. Na verdade, é impossível amar a menos que *realmente* perdoemos — repetidamente."

Louis Proto, *Be Your Own Best Friend: How to Achieve Greater Self-esteem, Health and Happiness*

NO MOMENTO ATENDENDO O NÚMERO

345

A FILA QUE NÃO ACABA

Em algum momento a vida vai fazê-lo esperar em uma fila. Use esse tempo para cultivar o mindfulness.

Enquanto estiver na fila, perceba os sentimentos que estão se intensificando: raiva, frustração, irritação, tédio. O que se passa na sua mente? O que acontece no seu corpo? Você percebe algum impulso vindo à tona?

Respire. Sinta o chão embaixo dos pés. Respire de novo, mais profundamente. Tome consciência das outras pessoas. Tente não absorver a irritação ou a conversa delas. Quando a fila andar, observe os seus movimentos e solte o corpo para relaxar.

Mantenha o corpo reto e acerte a postura. Dobre levemente os joelhos para aliviar a coluna. Permita que este momento seja o que é. Continue respirando e percebendo a respiração. Deixe o tempo passar e sinta o corpo ocupar o seu espaço.

"Perguntas se és feliz e
deixarás de sê-lo."

John Stuart Mill, *Autobiografia*

UMA PÉSSIMA NOITE DE SONO

É difícil enfrentar o dia após uma noite ruim. Dê a você mesmo um tempo para colocar a mente e o corpo no lugar certo.

Não se levante assim que acordar. Continue deitado na cama por cinco minutos. Alongue-se até ficar com os braços e pernas abertos. Mexa os dedos das mãos e dos pés.

Deitado de barriga para cima, feche os olhos e tome consciência de seu corpo. Tome consciência de todas as regiões que estejam doendo ou desconfortáveis. Respire profundamente e pense "subindo" quando inspirar, e "descendo" quando expirar. Repita.

Abra os olhos. Alongue o corpo novamente e depois sente-se com a coluna reta. Olhe ao redor. Perceba três coisas no quarto de que você gosta: um objeto, uma foto, uma cor. Concentre-se em cada uma delas por um instante.

Levante-se. Afaste os pés na largura do quadril e estique os braços acima da cabeça para alongar, depois abaixe-os e balance os braços e as pernas.

Inspire e expire profundamente. Você está pronto para enfrentar o dia.

"Na pressa de hoje todos nós pensamos demais, procuramos demais e nos esquecemos da alegria de apenas ser."

Eckhart Tolle

UM LANCHE COM *MINDFULNESS*

É muito fácil comer sem consciência no trabalho. As pessoas trazem bolos, salgadinhos, chocolates e doces, e você pode beliscar o dia inteiro, seja por tédio ou por costume. Experimente este exercício para ficar mais consciente da comida e entender melhor os sentidos.

Encontre um lugar para se sentar com o seu lanche, que pode ser uma uva-passa, um quadradinho de chocolate ou um morango. Olhe para ele, depois feche os olhos. Concentre-se na respiração e desligue-se de qualquer ruído ou movimento ao redor. Inspire e expire. A cada expiração, relaxe mais.

Ainda de olhos fechados, coloque a uva-passa, o quadradinho de chocolate ou o morango na boca. Deixe o alimento na língua. Sinta a textura, saboreie o doce, o sabor. Use a língua para girá-lo na boca ou deixe derreter. Não mastigue. Reserve um tempo para saborear o gosto e todos os sabores e texturas diferentes que são liberados.

Aprecie cada segundo o máximo que puder. Mastigue e engula. Abra os olhos.

DECISÕES, DECISÕES

Às vezes nós simplesmente não conseguimos escolher. Podemos adiar, rolar na cama à noite e discutir bastante o assunto, mas no fim das contas é preciso deixar a decisão se tomar sozinha.

Escreva uma lista de prós e contras dessa decisão. Guarde o papel e sente-se confortavelmente em um lugar tranquilo. Feche os olhos.

Inspire e expire. Respire mais fundo, deixando o ar encher os pulmões. Deixe a mente divagar sobre o problema, mas não se fixe nele. Deixe a questão flutuar. Continue a inspirar e expirar.

Perceba as regiões do corpo que estão tensas. O plexo solar (abaixo das costelas)? A mandíbula? As costas e os ombros? Visualize a respiração nesses locais e expulse a tensão a cada expiração. Abra os olhos e deixe os pensamentos fluírem novamente.

Pegue outro pedaço de papel e pergunte: o que eu penso sobre essa decisão? Escreva a primeira coisa que lhe vier à cabeça.

Acredite neste processo. A decisão se tomará sozinha.

DECEPÇÕES

A sensação causada pela decepção se parece com a da perda. Sentimos a perda do que poderia ter sido, algo que foi prometido, mas não cumprido. Tire o foco da dor e transfira-o para algo positivo.

Procure um lugar confortável e respire em um ritmo constante. Concentre a atenção bem no meio da testa.

Traga a mente para a decepção em questão. Veja-a de longe e observe o seu corpo reagir a ela, mas não se deixe levar por esses sentimentos.

Afaste-se desses sentimentos e concentre a atenção na sua mão esquerda. Concentre-se no polegar. Olhe para o formato dele, a curva da unha, as dobras na pele. Olhe para o espaço entre o polegar e o indicador e para todos os espaços entre os dedos. Continue respirando. Permaneça nesse momento.

"Ah, minha amada, encha a
taça que limpa o agora
De mágoas passadas e
medos por vir — Ora,
Amanhã? — amanhá talvez eu possa ser
Eu mesmo com os sete
mil anos de outrora."

Edward Fitzgerald, *Rubáyiát de Omar Khayyám*

REFUTE A CULPA

Culpar é um comportamento ineficaz, mas todos o fazemos. Precisamos assumir a responsabilidade pelos nossos atos, perceber que estamos com raiva e liberar o sentimento nocivo.

Sente-se confortavelmente, respirando em ritmo constante. Concentre-se na respiração.

Perceba os sentimentos "raivosos" no corpo. Localize-os. Estão no intestino? Na parte inferior das costas? No fundo da garganta? Identifique a cor, a forma e a textura desses sentimentos. Siga na direção da raiva, mas não a aceite. Tenha consciência dela, da forma e da localização que tem em seu corpo.

Concentre-se na respiração e aprofunde-a. Deixe a raiva "assentar". Fique em harmonia com ela.

Culpar não vai alterar esses sentimentos. Deixe que eles existam em você e queime-os.

"Você não escolhe como vai morrer. Nem quando. Você pode apenas decidir como vai viver. Agora."

Joan Baez, *Daybreak*

NO PONTO DE ÔNIBUS

Vento, chuva ou sol — o ônibus virá quando tiver que vir. Enquanto isso, experimente fazer este pequeno exercício.

Olhe ao redor. Há árvores na beira da estrada? Existem nuvens no céu? O que chama a atenção: você vê flores, lojas, prédios comerciais, carros, crianças? As pessoas correm ou passeiam? Ou não há nada para ver?

Inspire e expire, sentindo-se mais calmo a cada expiração. Fique em pé confortavelmente, dobrando um pouco os joelhos. Observe onde está a tensão no seu corpo e ponha a mente para trabalhar, relaxando um músculo de cada vez, primeiro contraindo para depois relaxar.

Saiba que em algum lugar um ônibus está vindo para o seu ponto. Respire calmamente e espere por ele.

"Nunca me preocupo com o futuro.
Muito em breve ele virá."

Albert Einstein

ACABE COM A BAGUNÇA

Armários, lofts e garagens podem transbordar com tantos objetos e a presença física deles pode entulhar o seu espaço mental. Traga ordem a tudo isso.

Escolha a área que deseja limpar: um armário, um canto, uma caixa ou uma pilha. Olhe para ela e compreenda. Agora imagine o local da bagunça totalmente limpo e organizado. Veja-o vazio.

Inspire e expire profundamente, três vezes. Feche os olhos. Imagine-se começando a limpar o local, separando os objetos que você precisa dos que não precisa, colocando tudo em bolsas e caixas. Aos poucos o espaço vai ficar limpo. À medida que os objetos são retirados, sinta o espaço aumentar em sua mente.

Abra os olhos. Comece.

ACEITAR A MUDANÇA

Mudanças são preocupantes. Mesmo sendo necessárias às vezes, isso não faz com que sejam bem-vindas. Lide com os sentimentos difíceis levando a mente para um local tranquilo e centrado.

Sente-se confortavelmente, inspirando e expirando com os olhos fechados. Tenha consciência da respiração e da posição de seu corpo. Sinta os pontos de pressão no corpo: os braços apoiados ao seu lado ou dobrados no colo, os pés no chão.

Visualize a mudança que ocorreu. Imagine as consequências dela no trabalho ou em casa, bem como os objetos e pessoas envolvidos. Observe os sentimentos que surgirem.

Volte para a respiração. Tenha consciência de que você não mudou. Sinta as mesmas pressões no corpo: a posição dos braços, os pés no chão. Continue a respirar, inspirando e expirando. Sinta-se relaxado e concentrado.

Abra os olhos.

"Sofrer é perfeitamente natural [...]
não é sempre a dor em si, mas a forma
pela qual vemos e reagimos a ela
que determina o grau de sofrimento
vivenciado. E é o sofrimento que
vivenciamos mais, não a dor."

Jon Kabat-Zinn, *Full Catastrophe Living: How to Cope
with Stress, Pain and Illness Using Mindfulness Meditation*

AUTOESTIMA

Autoestima é um julgamento interno de seu valor feito com base nas emoções. Aumente a autoestima e encontre a confiança interior com este exercício simples.

Sente-se confortavelmente e feche os olhos. Concentre-se na respiração. Inspire e expire profundamente e de modo constante.

Traga a atenção para o tórax, pulmões e coração. Imagine que você está se abrindo. Pense consigo mesmo: "Sou completamente bom." E também: "Sou totalmente digno de ser amado." Continue a respirar de modo constante. Imagine-se brilhando com uma luz dourada. Quanto mais aberto você se sentir, maior será o brilho.

Impeça qualquer pensamento negativo de se fixar na mente. Concentre-se em ser você mesmo e se aceitar.

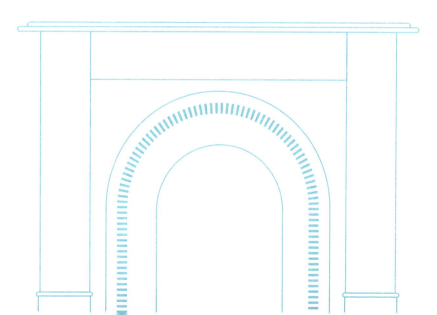

ATRASOS

Às vezes precisamos esperar mais do que imaginávamos: atrasos, promessas não cumpridas e tempo perdido esperando entregas podem ser frustrantes. Não deixe a situação acabar com a sua calma interior.

Fique em pé imitando o formato da letra A, com as pernas abertas e os braços para baixo, colados ao corpo. Inspire e expire, sibilando pelos dentes enquanto empurra o ar para fora usando o plexo solar, a região abaixo das costelas. Repita, sibilando ao expirar.

Levante os braços e alongue-os. Mexa os dedos das mãos e dos pés e depois abaixe os braços, voltando a deixá-los colados ao corpo. Inspire e expire, sibilando novamente.

Preste atenção no ambiente à sua volta. O que parece agradável hoje? Perceba cores, plantas, fotos e móveis ao seu redor. Respire.

Tenha consciência desse tempo de espera como um tempo livre, um presente. O que você pode fazer nesse momento?

"Uma noite, após uma aula de meditação, eu estava sentada sozinha, em um vagão do metrô em Londres. Um homem entrou e, quando as portas se fecharam, parou na minha frente, gritando:

— Passa o dinheiro!

Por algum motivo eu me senti calma e tranquila, olhei para ele, sorri e disse:

— Não.

Ele pareceu perplexo e elevou o tom de voz:

— Me dá o dinheiro!

Não faço ideia do que me deu, mas eu me sentia invencível e feliz naquela noite, apesar de ser uma mulher

sozinha em um vagão de metrô que
ia de uma estação para outra.

— Não — falei e sorri. Para minha
surpresa, ele sentou-se perto de
mim e perguntou, de repente:

— Então você não vai
me dar o dinheiro?

— Não vou, não — respondi, feliz.

— Tudo bem, então — respondeu
ele. Quando o trem chegou à estação
e as portas se abriram, ele se levantou
e desceu. Fiquei impressionada com a
minha fortaleza tranquila e surpresa por
ter enfrentado o homem, especialmente
sozinha, mas não me senti ameaçada
e acho que isso transpareceu.

Corinne Sweet

UM BOM LUGAR

Antes de enfrentar uma situação assustadora — como uma avaliação anual no trabalho ou encontrar os amigos do(a) seu(sua) parceiro(a) pela primeira vez —, certifique-se de estar "em um bom lugar" para "ouvir" o que é dito e reagir adequadamente.

Imite a forma de um X: coloque os pés bem firmes no chão, afastados um pouco além da largura do quadril, e levante os braços com as palmas das mãos para baixo. Essa pose lhe dará confiança e energia, além de fazer você se sentir mais preso ao chão e decidido.

Alongue a coluna e levante a cabeça, imaginando que está sendo puxado por uma corda fixa no alto da cabeça. Mantenha os joelhos levemente dobrados para aliviar a parte inferior das costas. Contraia o cóccix.

Inspire e expire lentamente cinco vezes. Sinta-se mais preso cada vez que expirar.

COZINHANDO COM *MINDFULNESS*

Aceite a natureza sensual da preparação dos alimentos, preparando-os com mindfulness.

Reúna os ingredientes para a sua refeição. Aprecie as diferentes formas, tamanhos e texturas: perceba a diferença entre as garrafas sólidas de vidro e os líquidos contidos nelas e compare-os às cores e formas orgânicas das ervas e vegetais. Sinta o cheiro dos ingredientes frescos.

Reserve um espaço e reúna seus apetrechos de cozinha. Pegue um vegetal e descasque-o, observando a cor, a sensação e a umidade. Fatie e pique, prestando atenção aos líquidos, ao som, às formas que você dá. Repita.

Aqueça um pouco de óleo na frigideira e acrescente os ingredientes. Mexa. Observe o alimento mudar de textura. Olhe para as cores: um ponto verde aqui, um pedaço laranja ali. Ouça o som da umidade sendo liberada e o chiado feito pelo calor.

Quando a refeição estiver pronta, dê um passo para trás e admire a sua obra.

"Quando você beber, apenas beba,
Quando você andar, apenas ande."

Provérbio zen

DIRIGIR COM CRIANÇAS

É uma jornada longa e calorenta e as crianças estão brigando no banco de trás. Experimente este exercício quando a paciência acabar.

Pare em um posto de gasolina ou estacionamento. Reserve um momento para respirar. Respire profundamente, tendo consciência do ar que entra e sai, dez vezes. Saia do carro. Tire as crianças do carro. Imagine toda a tensão saindo de lá com vocês e se dispersando no ar.

Vá até o banheiro ou compre uma refeição leve. Dê às crianças uma pausa ao ar livre. Respire, olhe para o céu e estimule as crianças a queimarem as frustrações alongando as pernas.

Volte ao carro, trazendo o ar fresco e a mente limpa com você. Continue a viagem.

DESCANSO   ÁREA DE DESCANSO   ÁREA DE

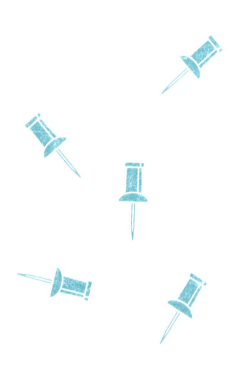

CRÍTICAS

É fácil ficar na defensiva quando se é criticado e reagir ou bater em retirada. Use o mindfulness *para domar os sentimentos.*

Reserve um momento para se afastar mentalmente da situação. Respire. Enquanto você inspira, tenha consciência do momento presente. Tudo está bem.

Imagine as opiniões dos outros, tanto positivas quanto negativas, flutuando ao seu redor. Perceba que você está respirando em segurança e confortavelmente, que não está sendo atacado.

Fixe esse momento. Não pense nos eventos que acabaram de acontecer ou que acontecerão em seguida. Uma opinião não o condena, e você não precisa concordar nem se defender.

Observe o seu corpo. Libere a tensão dos músculos. Alongue os braços e livre-se das tensões. Deixe as críticas entrarem e ouça, mas não reaja. Desapegue-se delas.

Viva esse momento incômodo e aceite que as pessoas têm visões diferentes. Se houver algo a aprender com a crítica, vai emergir. Continue inspirando e expirando até se sentir calmo.

"Vossa dor é o rompimento
do invólucro que encerra
vossa compreensão [...] e
contemplaríeis serenamente os
invernos de vossa aflição.
Grande parte de vosso sofrimento é
por vós próprios escolhida: é a amarga
poção com a qual o médico que está
em vós cura o vosso Eu-doente.
Confiai, portanto, no médico,
e bebei seu remédio em
silêncio e tranquilidade."

Kahlil Gibran, *O profeta*

OLHE PARA FORA

Quando sentir que o foco está diminuindo, encontre uma janela com vista e experimente este exercício.

Fique em pé ou sente-se confortavelmente perto de uma janela e olhe para fora. Consegue enxergar uma rua ou o céu? Olhe para cima e para baixo a fim de ver ambos. Identifique o objeto que se move mais rapidamente e o que se move mais lentamente no seu campo de visão. Leve em conta tudo o que está se movendo diante de seus olhos enquanto você está parado.

Inspire e expire e tenha consciência de como você está sentado ou em pé. Se estiver em pé, dobre levemente os joelhos.

Aprecie este momento.

ATRAPALHADO

Sempre há aquele momento — um ato falho ou movimento esta-banado — que pode expor você ao ridículo. Lide com essa sensação de embaraço respirando através e por cima dela.

Inspire e expire de forma constante, vivenciando cada respiração. Deixe os sentimentos se acumularem. Vivencie-os, mas não se deixe inundar por eles.

Feche os olhos brevemente e imagine-se protegido por um escudo psíquico, como uma película, cobrindo você da cabeça aos pés. Dê uma cor para ele, como roxo ou azul. Visualize-o como uma realidade sólida e forte.

Tenha consciência da inspiração e da expiração. Procure a fonte de seus sentimentos. Avalie se alguém está tentando se sentir melhor ao fazer você se sentir mal. Protegido atrás de seu escudo, evite ser um alvo.

Continue a inspirar e a expirar. Perceba outra pessoa ou objeto no ambiente com o qual você possa se conectar. Sinta o momento e avance para o próximo.

"Sempre procurei força e confiança externamente, mas ela vem de dentro. Está lá o tempo todo."

Anna Freud

NADAR COM *MINDFULNESS*

Una o exercício aeróbico à meditação aprendendo a nadar com mindfulness.

Entre na piscina cuidadosamente e deixe o corpo se ajustar à temperatura. Sinta o apoio e a pressão da água. Inspire fundo e expire lentamente. Comece a nadar no seu estilo favorito.

Perceba a respiração, pensando "dentro" ao inspirar, e "fora" ao expirar. Sinta os pulmões se expandindo e contraindo enquanto você se move pela água.

Encontre um ritmo confortável. Se estiver contando braçadas, conte, mas mantenha o foco na respiração e o ritmo constante. Sinta a facilidade com que a água flui pelo seu corpo. Tenha consciência dos braços e das pernas: como eles encontram uma leve resistência a cada braçada e a elegância com que o seu corpo avança.

Quando terminar, continue na água, de olhos fechados e sem se mexer. Tenha consciência de seu corpo, antes forte e quente devido ao exercício e agora acalmado pela água enquanto você descansa. Perceba como você se sente ao sair da água, com *mindfulness.*

"Sou grato pelo que sou e tenho. Meu agradecimento é perpétuo. É surpreendente o quanto alguém pode ficar satisfeito sem nada definido — apenas uma noção de existência."

Henry David Thoreau

DIVIDINDO O ESPAÇO

Viver com outras pessoas e seus hábitos geralmente é um desafio. Acalme a irritação com este exercício.

Afaste-se da fonte de irritação. Encontre um lugar tranquilo para se sentar e feche os olhos. Concentre-se na respiração.

Tenha consciência de seu corpo. Sinta as regiões tensas e concentre a respiração nelas. Relaxe enquanto respira. Imagine o motivo da irritação e deixe-o flutuar para longe de você.

Continue inspirando e expirando, trazendo a atenção para o centro da testa. Veja a irritação pelo que ela é: uma sensação momentânea. Apenas deixe-a passar. Abra os olhos.

Quando você sentir a emoção sem a raiva, enfrente o problema com uma simples conversa.

A VELHA DISCUSSÃO DE SEMPRE

Todos os relacionamentos têm áreas pantanosas em que você pode escorregar com frequência. Pode ser uma velha discordância ou uma ferida antiga que precisa ser tratada. Reconheça as cascas de banana e desvie delas.

Quando ocorrer uma discussão familiar, faça uma pausa. Perceba o caminho bem desgastado e os assuntos que sempre levam à discórdia. Relembre as sensações desse local. Você quer voltar para lá?

Diga a si mesmo para parar. Afaste-se e aborde a questão depois, por outro caminho. Isso pode levar você a um lugar diferente.

"Daria todas as minhas posses
por mais um instante."

Últimas palavras de Elizabeth I

A VÉSPERA DE UM DIA CHEIO

Aqui estão algumas dicas para acalmar a ansiedade por meio do mindfulness. *Pegue papel e caneta.*

Reserve cinco minutos antes de dormir para se sentar confortavelmente. Feche os olhos e relaxe. Respire e observe a respiração. Preste atenção à localização das sensações no seu corpo, talvez um frio na barriga ou a mente acelerada.

Abra os olhos e escreva uma lista do que precisa fazer a fim de se preparar para o dia seguinte. Anote tudo, esvazie o cérebro do que está preenchendo a sua mente. Deixe a lista de lado e volte à respiração. Quando a mente devanear, volte a atenção para o meio da testa.

Abra os olhos. Olhe para a sua lista e faça calmamente tudo o que precisa, um item de cada vez.

Sinta-se calmo, pronto e preparado para o dia que virá.

"Lembra-te [...] de conservar
na adversidade a tranquilidade
do espírito."

Horácio, *Odes*

LAVAR A LOUÇA

Transforme uma tarefa doméstica em uma atividade de mindfulness.

Abra a torneira. Coloque o detergente e observe as bolhas aparecerem na água corrente. Sinta o aroma, ouça a água jorrar.

Pegue um prato sujo. Sinta a dureza do material nas mãos. Pegue uma esponja e esfregue o prato até limpá-lo. Veja a espuma se formar na água, ouça o ruído da esponja contra a louça e o som dos copos e pratos se deslocando na pia. Concentre-se no ato físico de limpar o que está sujo. Enxágue. Veja como a louça brilha. Deixe escorrer.

Observe que o trabalho não exige muito tempo. Admire a sua obra. Sinta prazer pelo trabalho bem-feito.

"*Mindfulness* não é uma sensação tensa de "quero-excluir-tudo". [...] Ter *mindfulness* é se envolver tão completamente em uma atividade que ela vira uma expressão do seu verdadeiro eu."

Robert Allen, *365 Pep Talks from Buddha*

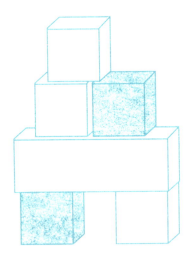

REJEIÇÃO

Acontece com todo mundo em algum momento: você não é escolhido para uma equipe, é excluído de um evento social, todos saem para almoçar juntos sem convidá-lo. Como lidar com a sensação de ficar de fora então?

Inspire, expire. Saiba que você está bem como está neste momento. Entenda que as pessoas fazem e dizem coisas por vários motivos, e isto nem sempre tem a ver com você.

Fique em harmonia com seus sentimentos por alguns minutos. Perceba quais emoções estão borbulhando embaixo da superfície. O que esses sentimentos lhe dizem? Você consegue localizá-los no corpo?

Respire lentamente. Feche os olhos e visualize um lugar onde você se sente seguro, confortável e confiante. Imagine-se nesse lugar. Identifique eventuais pensamentos negativos a seu respeito, mas não deixe que eles povoem a mente. Lembre-se de três coisas que gosta em si mesmo. Abra um grande espaço para elas. Agarre-se a esse espaço e abra os olhos.

Lembre-se de que a vida é longa. Sempre haverá outra oportunidade, outro evento. Você poderá organizar o próximo.

"Tive pensamentos suicidas no auge de meu desespero até chegar a um ponto em que nunca me senti tão forte na vida. Tenho esperança no futuro e no que ele me reserva. Você também consegue, não importa quais sejam as circunstâncias."

Angie Buxton-King, *The NHS Healer: How My Son's Life Inspired a Healing Journey*

PONTO DE RUPTURA

O lar pode ser um refúgio, mas também é o centro nervoso da vida familiar. Caso você fique sobrecarregado pelas constantes demandas da criação dos filhos ou das tarefas domésticas, é fundamental se dar um tempo.

Encontre um lugar onde você possa ficar sozinho e feche a porta, se possível. Sente-se ou deite-se confortavelmente e respire fundo, inspirando e expirando cinco vezes. Sempre que expirar, sopre o ar pelos lábios contraídos.

Permita-se ficar com raiva ou frustrado. Perceba onde essa sensação existe no corpo: na mandíbula contraída, nos ombros encurvados ou na boca do estômago. Deixe as emoções crescerem e observe-as chegarem ao ápice. Imagine que está surfando a emoção como se fosse uma onda no mar. Veja a si mesmo de fora. Deixe a emoção carregá-lo, deixe-a crescer. Agora, deixe-a quebrar.

Respire na emoção, destrave a mandíbula, alinhe os ombros e libere os músculos do estômago. Sinta-se mais centrado a cada respiração.

Deixe a emoção difícil acontecer, sem julgamentos. Saiba que o sentimento vai passar.

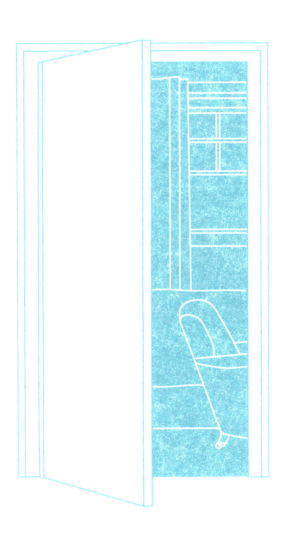

"A existência das ideias é mais importante do que seu julgamento subjetivo. Os julgamentos, entretanto, enquanto ideias existentes, não devem ser reprimidos, porque fazem parte da expressão da totalidade."

Carl G. Jung, *Memórias, sonhos, reflexões*

COMER FORA

Tente sair do escritório e almoçar fora. Bastam cinco minutos de ar fresco para fazer toda a diferença no seu dia.

Encontre um bom lugar para sentar-se: um banco de praça, um muro baixo ou uma mesa em um café. Tire o almoço da sacola e olhe para ele. Avalie a cor, a forma e a textura da comida. Avalie o cuidado dispensado na preparação dessa refeição.

Dê uma mordida. Sinta e saboreie cada pedaço. Enquanto come, tenha consciência do ar fresco na sua pele e nos pulmões.

Depois de comer, fique alguns minutos observando as pessoas. Resista à tentação de conferir o telefone ou voltar correndo para o trabalho.

Apenas exista.

COLOCAR A CRIANÇA PARA DORMIR

Experimente fazer este exercício quando seu filho exausto simplesmente não quiser dormir.

Coloque a criança na cama. Diminua as luzes e desligue equipamentos eletrônicos e música. Sente-se ao lado da cama e diga que vai fazer um jogo para ela dormir. Peça à criança para fechar os olhos e respirar de modo constante. Conte cada inspiração e expiração junto com ela.

Diga para a criança se imaginar afundando com segurança e conforto na cama, fingindo que o colchão é um marshmallow gigante. Fale que cada parte do corpo dela está afundando mais e mais no marshmallow confortável, começando pelos dedos dos pés e subindo pelo corpo, na direção das pernas, joelhos, coxas, barriga, dedos das mãos, braços, peito e pescoço, terminando no alto da cabeça.

Ela deverá dormir antes de você chegar ao fim da lista.

PARADO NO TRÂNSITO

Independentemente de ser motorista ou passageiro, aproveite o momento para relaxar.

Desligue o rádio. Se estiver dirigindo, perceba como está segurando o volante — afrouxe um pouco uma das mãos e flexione os dedos. Volte a segurar bem o volante e solte, flexionando os dedos da outra mão. Inspire e expire, fazendo ruído ao expirar.

Verifique os ombros, costas, pescoço e rosto em busca de tensão. Mexa a cabeça para um lado e para outro, depois para cima e para baixo. Eleve os ombros na direção das orelhas e deixe-os cair. Repita.

Perceba se está muito encostado ou sentado na ponta do banco. Está curvado? Relaxe um pouco. Observe seus pés e pernas: se estiver parado, puxe o freio de mão e deixe os pés descansarem no chão. Respire. Verifique o retrovisor e tenha consciência dos outros carros e das pessoas dentro deles. Esteja preparado para se mover física e mentalmente. Diga a si mesmo: "Tenho todo o tempo do mundo."

Continue respirando. Solte um pouco o volante conscientemente e segure-o de leve. Fique ciente, mas relaxado, enquanto avança devagar. Você vai chegar lá, no fim das contas.

"Se você andar pelo caminho
certo e estiver disposto a continuar
andando, vai acabar progredindo."

Barack Obama

JARDINAGEM COM *MINDFULNESS*

A jardinagem literalmente nos deixa em contato com a natureza e é uma incrível fonte de conforto para mentes, corpos e almas esquentados. É fácil ter mindfulness *quando se está com as mãos na terra.*

Escolha uma tarefa simples da qual você goste, como semear, escolher as mudas, tirar ervas daninhas ou cortar a grama. Use luvas, se quiser, embora seja melhor não usá-las.

Observe a textura do solo, os cheiros e as cores. Se houver flores, observe o estado da floração. Os botões se abriram totalmente? Concentre-se nas sensações físicas: o que você vê, sente e ouve. Fique presente.

Tenha consciência de seu corpo: onde ele está curvado e quais músculos estão trabalhando. Quando o corpo pedir uma pausa, pare.

Observe o verde que sai da terra, as folhas frescas se abrindo e o solo rico em suas mãos. Permaneça no presente e aprecie essa parceria com a natureza.

"Algumas das mais requintadas obras da natureza estão em escala reduzida, como qualquer pessoa que já viu um floco de neve com lupa sabe."

Rachel Carson, *The Sense of Wonder*

DINHEIRO

O dinheiro pode trazer sensações fortes. A preocupação em ganhá--lo, mantê-lo e possuir em quantidade suficiente pode tomar conta de nossos pensamentos. Tenha uma atitude de mindfulness *em relação à riqueza monetária.*

Analise a forma pela qual o dinheiro entra em sua vida. Agora analise o que o dinheiro lhe traz. O quanto você precisa dele?

Medite sobre as coisas que você aprecia na vida. Perceba quais dependem do dinheiro e quais não dependem.

Inspire e expire profundamente. Concentre-se na respiração cinco vezes. Analise o ar que está em seu corpo e o dinheiro que está na carteira. Analise o que você quer mais e do que precisa mais.

Seja grato por tudo que tem.

AS PEQUENAS IRRITAÇÕES DA VIDA

Jogar lixo na rua, furar fila, atendentes virtuais em centrais de atendimento e maus motoristas: pequenas coisas podem literalmente nos distrair. Em vez de piorar a situação, experimente meditar.

Fique em pé em uma escada rolante, do lado correto, e tenha consciência dos passantes a seu redor.

Pegue um lixo que alguém jogou no chão e o coloque na lixeira junto com os seus pensamentos negativos.

Se ouvir alguém gritar em um momento de raiva no trânsito, deixe isso fluir e passar por você.

Caso precise de um lugar no ônibus ou metrô, pergunte educadamente se a pessoa faria a gentileza de deixar você sentar-se.

Ao passar por uma porta, segure-a para quem estiver atrás de você.

Peça o que você precisa ou deseja: um copo d'água, que uma janela seja aberta.

Perdoe atrasos ou adiamentos usando o momento para apreciar o ambiente à sua volta.

Deixe essas coisas pequenas e sem importância acontecerem ao seu redor e apenas exista.

"Em breve espaço se substituem
as gerações de seres vivos e, como
os corredores, passa-se de uns
aos outros o facho da vida."

Lucrécio, *Da Natureza*

LIDANDO COM A PERDA E COM O LUTO

A perda é dolorosa. Seja a morte de um ente querido ou a perda de oportunidades, objetos ou sonhos, o desafio é aceitar que o luto faz parte da vida e viver bem cada momento.

Lembre-se dos tempos bons e felizes. Lembre-se das coisas que você amava ou queria no que perdeu. Admita o seu luto. Sinta-o.

Aprecie cada segundo da vida enquanto ela ainda está com você. Dê as mãos, beije, toque, olhe para uma flor, acaricie o cachorro, faça lembranças, aprecie a luz.

Seja grato pelo que teve enquanto durou.

"Observar a morte em paz de um ser humano faz-nos lembrar uma estrela cadente. É uma entre milhões de luzes do céu imenso, que cintila ainda por um breve momento para desaparecer para sempre na noite sem fim."

Elisabeth Kübler-Ross, *Sobre a morte e o morrer*

REVIVER

Um dos princípios básicos de cuidar de si mesmo consiste em descansar quando estiver esgotado e dormir se estiver cansado. Uma soneca de cinco ou dez minutos pode fazer a diferença. Em casa ou no trabalho, é possível encontrar um escritório vazio. Nos meses mais quentes, procure um parque onde seja possível deitar-se.

Encontre um local para se deitar confortavelmente. Sozinho, se possível. Descanse a cabeça em uma roupa dobrada a fim de obter isolamento e conforto. Configure o cronômetro para tocar em cinco ou dez minutos.

Feche os olhos e deixe o corpo afundar no chão. Alongue os braços ao lado do corpo, abra um pouco as pernas e alongue os dedos das mãos e dos pés. Caso tenha problemas de coluna, dobre os joelhos e firme os pés no chão, abertos na altura do quadril, pressionando levemente a parte inferior das costas na superfície onde estiver deitado. Inspire e expire profundamente e de modo constante.

Coloque as mãos um pouco abaixo das costelas e sinta o ar entrando e saindo. Mantenha a atenção concentrada no meio da testa, mas observe os sons ao seu redor, bem como cheiros e movimentos.

Quando o alarme do cronômetro tocar, estique os braços e alongue-os. Fique deitado por um momento antes de se levantar.

"A vida não é complexa, nós é que somos. A vida é simples e o simples é sempre correto."

Oscar Wilde

TÉRMINOS

Tudo o que é bom acaba. Independentemente de se estar vivenciando o fim de um emprego, de um relacionamento ou de uma amizade, deixe este exercício atuar como fonte de conforto e energia.

Deite-se em um lugar tranquilo, com as costas retas e os braços um pouco afastados do corpo. Apoie a parte inferior das costas em um pequeno travesseiro ou toalha enrolada, se necessário. Inspire e expire.

Dobre os joelhos na altura do peito e abrace as pernas. Mantendo as costas em contato com o chão, jogue os joelhos para a direita, depois para a esquerda, e em seguida faça um suave movimento circular com eles. Tenha consciência da respiração ao longo do processo. Não se esforce. Se abraçar as canelas for muito difícil, abrace as coxas.

Relaxe o corpo no chão enquanto você faz os movimentos. Tenha consciência de si mesmo, sozinho nesse momento. Mantenha o foco na respiração.

Solte as pernas e abaixe-as devagar, uma de cada vez. Descanse.

SEJA AMADO

Amar alguém diz respeito à aceitação, a reconhecer as diferenças e apreciá-las. Para amar uma pessoa direito, é preciso se amar direito também.

Perceba três coisas de que você gosta em si mesmo. Anote-as. Medite sobre elas.

Aprecie tudo o que você é agora, no presente.

EXCESSO DE COISAS A FAZER

A sua lista de tarefas a cumprir é imensa e aumenta a cada minuto. Por onde começar?

Faça uma nova lista das dez tarefas que você precisa cumprir — liste mais de dez, se forem urgentes. Dobre o pedaço de papel e deixe de lado por um momento. Configure o cronômetro para tocar em cinco ou dez minutos.

Feche os olhos, inspire e expire, concentrando-se na respiração. Imagine uma mesa limpa e organizada em pilhas, onde cada pilha representa uma tarefa. Inspire, segure, conte até três. Expire, conte até três. Observe os pontos de tensão no corpo e deixe-os ir, um por um.

Permita que pensamentos de sua lista flutuem pela mente. Veja-os passando, mas não se apegue a eles. Perceba a respiração de novo e gentilmente volte a atenção para trás da testa quando a mente devanear.

Contemple a mesa com suas pilhas limpas e muito bem organizadas mais uma vez. Continue a inspirar e expirar.

Abra os olhos e volte a si, com *mindfulness*, e deixe o primeiro pensamento surgir na cabeça. Confie que este será o ponto de partida de sua lista.

"Faz com que os de conhecimento
não se encorajem e não ajam.
Sendo assim, nada fica sem governo."

Lao-Tsé, *Tao Te Ching*

MÁS NOTÍCIAS

Procuramos as coisas boas da vida, mas inevitavelmente encontramos as ruins. Más notícias podem abalar as estruturas, deixando-nos entorpecidos e mudos ou grosseiros e com raiva. Use este exercício para processar as suas emoções.

Deite-se confortavelmente ou sente-se em uma cadeira de encosto alto, com apoio para as costas. Use um lençol ou cobertor fino para se cobrir. Inspire e expire profundamente. Perceba a respiração entrando pelo nariz e saindo pela boca.

Sinta a forma pela qual seu corpo está sentado ou deitado, perceba onde o corpo está em contato com a cama, chão ou cadeira. Saiba que você está seguro e aquecido. Neste momento, nada poderá lhe fazer mal. Continue a respirar profundamente e de modo constante.

Deixe a atenção se voltar para a má notícia. Imagine-se recebendo apoio e suporte enquanto assimila a informação, gentilmente. Assimile e entre em harmonia com ela. Ela existe e você também.

Diga a si mesmo: "Está tudo bem." Repita isso mentalmente enquanto respira. Continue a assimilar a notícia, repetindo "Está tudo bem" caso se sinta sobrecarregado.

Abra os olhos e permita-se descansar por alguns minutos.

"Nada acontece a ninguém que
sua natureza não suporte."

Marco Aurélio, *Meditações*

BANHO COM *MINDFULNESS*

Prepare um banho e acrescente seu óleo favorito. Acenda velas, se desejar. Ajuste a temperatura da água e entre.

Deite-se e sinta a água envolver o corpo. Entregue-se às sensações. Perceba a temperatura da água e a superfície lisa da banheira. Levante um dos braços e observe a água escorrer dele. Respire profundamente pelo abdome. Permaneça no momento.

Fique na banheira, apenas sentindo o calor e observando o vapor subir. Acrescente mais água quente e sinta o calor inundando você e tudo ao redor.

Esvazie a mente dos pensamentos e tarefas e mantenha-se concentrado nas sensações. Aproveite a experiência.

SOBRECARGA SENSORIAL

Escritórios sem baias, telefones tocando, o som das batidas no teclado, o cheiro de comida e bebida... Se a atmosfera do ambiente de trabalho estiver afetando você, experimente este exercício.

Faça uma varredura no escritório em busca de algo para olhar que o acalme: pode ser uma planta em um vaso, um quadro na parede, um peso de papel ou outro objeto agradável em sua mesa. Reserve um momento para olhar o objeto, olhar mesmo. Aprecie a beleza, a cor, o ritmo. Trace visualmente as linhas dele, sinta o peso desse objeto e o espaço que ele ocupa na sala.

Volte a atenção para si mesmo. Perceba o espaço que você ocupa no ambiente. Sente-se com a coluna reta e respire fundo. Expire. Volte ao trabalho mais concentrado.

Da próxima vez que sentir uma sobrecarga nos sentidos, volte a atenção para o mesmo objeto e pratique a respiração.

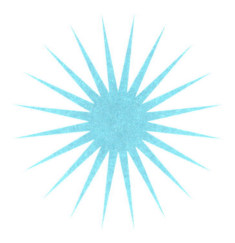

"É somente quando beberdes do rio do silêncio que podereis realmente cantar."

Kahlil Gibran, *O Profeta*

ENCONTRE-SE

As famílias são caldeirões de necessidades e exigências. Seja pai, mãe ou cuidador de parentes mais velhos, às vezes você pode sentir que está sempre à disposição de alguém. Reserve um tempo para você.

Encontre um canto tranquilo em casa, onde possa ficar sem ser perturbado por dez minutos. Sente-se confortavelmente ou deite-se. Feche os olhos. Mantenha o foco no som e no ritmo da respiração.

Ouça os sons da casa e deixe que eles cubram você como uma onda. Ouça as vozes e ruídos, mas não deixe a concentração se desviar para eles. Mantenha o foco em si mesmo. Aceite os sons da casa e reconheça as pessoas ligadas a eles. Tenha consciência de que você também é uma parte importante da casa.

Respire fundo. Tome consciência de si mesmo e do espaço que ocupa agora. Pense: "Está tudo bem" e "Posso lidar com qualquer coisa".

Continue a respirar profundamente por alguns minutos. Volte à batalha.

CONFRONTOS

Não importa de que lado você está, a hostilidade do conflito vai desequilibrar suas emoções. Reserve um tempo para se recuperar.

Afaste-se do local e encontre um lugar tranquilo: uma sala vazia, uma escadaria, um banheiro. Reserve um tempo para entrar em sintonia consigo mesmo. Sinta os seus sentimentos. Respire profundamente.

Se estiver com raiva, indignação ou culpa, deixe os sentimentos passarem por você como uma onda. Respire neles. Perceba como você está em pé. Os ombros estão curvados? Abra-os e ganhe confiança. Se a mente estiver acelerada, acalme-a concentrando-se em algo positivo sobre você: o cabelo, a altura, a voz.

Observe a sua respiração. Está curta ou rápida? Inspire profundamente e expire. Repita até a respiração se regularizar.

Perceba se os sentimentos diminuíram. Continue a ganhar confiança e a respirar profundamente até sentir a irritação sem ser dominado por ela.

"Acredito que devemos confrontar a morte como fazemos com outros medos. Devemos contemplar nosso fim último, familiarizar-nos com ele [...] Encarar a morte, com orientação, não só apazigua esse terror como também torna a existência mais aguda, mais preciosa, mais vital."

Irvin D. Yalom, *De frente para o Sol: Como superar o medo da morte*

NO ÔNIBUS

Até uma viagem curta é uma oportunidade para meditar.

Volte a sua atenção para uma porta ou janela. Olhe para cima e para fora. Observe o mundo exterior em movimento: o céu, as árvores, as lojas, as casas, as luzes nos postes, as pessoas. Respire.

Avalie o espaço habitado por seu corpo. Tenha consciência do chão firme embaixo dos pés e do ar acima de você. Avalie o espaço habitado pelo ônibus enquanto viaja para o seu destino. Aceite que a jornada vai levar o tempo que precisar. Feche os olhos, inspire e expire. Repita. Deixe as conversas ou a proximidade das pessoas inundarem você.

Abra os olhos e concentre-se na paisagem lá fora. Relaxe e preste atenção ao seu ponto.

PACIÊNCIA

As pessoas, as circunstâncias e até os filhos adolescentes podem testar a sua fortaleza. Reforce a paciência com esta meditação para ser feita em pé.

Assuma a Postura da Montanha da Yoga: fique em pé com as pernas abertas na largura do quadril e os braços abaixados junto ao corpo. Mantenha a cabeça erguida, com o pescoço reto, mas não tenso. Fique confortável. Inspire e expire de modo constante.

Continue respirando. Perceba os pés firmes no chão. Imagine que uma corda está puxando levemente a sua cabeça a partir do topo e deixe a coluna reta. Mantenha os joelhos levemente dobrados.

Continue respirando e perceba a respiração. Sinta o ar entrando pelos pulmões, descendo pela barriga, deixando você ainda mais firme no chão. Continue a respirar profundamente nessa posição até se sentir relaxado e estável.

Tenha consciência de que você é forte, capaz e tem os pés no chão. Você pode enfrentar qualquer coisa.

"Quando fui atropelada por um caminhão de dez toneladas aos 17 anos e levada às pressas ao hospital, fiquei em tração ortopédica após a cirurgia de emergência que foi feita para salvar a minha vida. Por duas semanas eu vivi uma agonia extrema, 24 horas por dia, sete dias por semana, causada por fraturas múltiplas, danos à coluna, lesões perfurantes... Eu tomava morfina, mas o efeito das injeções passava cada vez mais rápido. Em desespero, comecei a morder os lençóis para controlar a dor. Foi quando acabei descobrindo algo: se eu me concentrasse na dor, ela desaparecia. Comecei a dirigir o foco da mente para a dor como forma de controlá-la. Em vez de tentar apagar a dor, eu entrava nela, voando mentalmente como uma abelha rumo à colmeia. Assim, eu comecei a usar a mente consciente para me ajudar a sobreviver àquela agonia. Muito tempo depois, descobri que este é um dos princípios do *mindfulness*: concentrar-se na dor em vez de evitá-la de modo a gerenciá-la, e cavalgá-la bravamente."

Corinne Sweet

O MONSTRO DE OLHOS VERDES

Não deixe o ciúme, a inveja ou sentimentos competitivos dilapidarem você. Deixe para lá.

Sente-se em um lugar tranquilo e respire calmamente, observando a respiração. Feche os olhos ou fixe o olhar na parede. Imagine a sua inveja como um grande pedregulho. Dê uma forma para ela. Dê-lhe também peso e textura. Mesmo pesada, é possível segurá-la com uma das mãos.

Imagine-se carregando esse pedregulho até uma praia. A maré está alta, e o mar quebra a seus pés. Levante o braço e jogue o pedregulho. Observe-o formar um arco, ganhar distância e desaparecer, batendo forte na água.

Respire profundamente. Deixe para lá.

DESFAZER A MALA

Complete a volta para casa de uma viagem distante meditando enquanto desfaz as malas.

Reserve um momento para chegar. Não desfaça as malas imediatamente. Descanse em um lugar calmo e relaxe. Passe alguns minutos apenas existindo, de volta ao lar. Perceba eventuais pensamentos irritáveis que venham à tona. Deixe-os existirem, mas não se concentre neles.

Leve a mala para o quarto e abra. Retire os seus pertences devagar, organizando tudo em pilhas. Aprecie as cores e texturas. Imagine que elas personificam momentos e lembranças felizes do tempo que você passou fora. Saboreie-as.

Guarde os pertences até não sobrar mais nada. Olhe para a mala vazia. Feche-a. Guarde a mala, mas mantenha as boas lembranças.

Fique em pé e alongue-se, depois volte a se envolver com a casa e suas tarefas.

"Começa-se a tornar-se alguém ficando-se atento. Começa-se a ficar-se atento ao ficar de pé, ou com o impulso para ficar de pé. Começa-se a ficar de pé encontrando-se a própria base, que molda os nossos corpos. Isso ocorre por meio do desenvolvimento de atitudes que nos ajudam a organizar o nosso viver."

Stanley Keleman, *O corpo diz sua mente*

VÁ DORMIR

Esta meditação guiada é uma boa forma de pegar no sono, mesmo no meio de uma noite agitada.

Deitado na cama, coloque as mãos no abdome com as palmas viradas para baixo. Feche os olhos, inspire e expire. Concentre--se na respiração. Deixe o corpo pesar na cama. Afunde nela.

Deixe a parte inferior das costas reta. Afrouxe a mandíbula e abra bem a boca como se estivesse prestes a bocejar. Caso sinta vontade de bocejar, deixe que aconteça.

Traga a atenção para os dedos dos pés, um a um; depois para as solas dos pés, os tornozelos e vá subindo para as canelas. Mova a atenção para cima: joelhos, coxas, mãos. Sinta todos pesarem na cama.

Continue indo para cima, trazendo a atenção para o plexo solar, abaixo do diafragma. Deixe a respiração entrar aqui várias vezes. Mova a atenção para cima, até a área do tórax, e pense nele se expandindo e abrindo quando o ar entra. Vá para os braços: sinta que eles estão pesados e relaxados.

Por fim, traga a atenção para o pescoço, rosto e cabeça. Deixe a boca ficar solta. Sinta a cabeça pesar no travesseiro e os ombros afundarem na cama.

Deixe-se levar e durma.

O CORPO EM *MINDFULNESS*

Aprecie verdadeiramente a sensação física ao ganhar mais consciência do próprio corpo, com suas necessidades e ritmos, sentidos e contornos.

Deite-se confortavelmente de barriga para cima. Inspire e expire devagar. Sinta as eventuais tensões no corpo e respire nelas. Relaxe.

Coloque as mãos no esterno com as palmas viradas para baixo e sinta a respiração indo e vindo. Perceba como o tórax sobe e desce. Perceba as suas mãos subindo e descendo com o tórax.

Mova as mãos para o abdome. Continue a respirar. Perceba o calor do abdome nas mãos. Sinta a curva da barriga. Alongue uma perna, depois a outra. Sinta a superfície por baixo das pernas. Repita isso com os braços.

Ganhe consciência das partes que compõem o seu corpo e funcionam como um todo nesse momento. Aprecie os sentidos, eles permitem que você experimente o mundo.

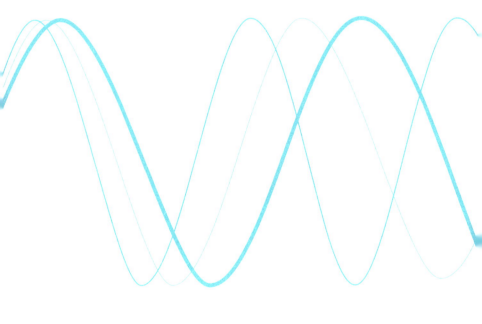

AGARRE-SE A UM BOM DIA

Alguns dias no trabalho são ótimos. Você conseguiu fazer o que desejava, riscou itens da lista de tarefas a cumprir e se sente bem. Mantenha esse sentimento no trajeto de volta para casa.

Tenha consciência de sua postura. Seja sentado no metrô ou andando pela rua, fique de cabeça erguida e mantenha os ombros relaxados. Tenha consciência de seu corpo.

Olhe ao redor. Perceba a luz, a textura do casaco de alguém, as árvores e o céu, se conseguir vê-lo. Encontre e observe o que houver de atraente ao seu redor. Fique consigo mesmo durante a viagem, ciente da jornada e da paisagem que muda.

Agarre-se aos sentimentos bons. Sinta-os acumularem nas partes relaxadas do corpo e viajarem com você. Diga a si mesmo "Eu sou bom" ou "Está tudo bem" e acredite nisso.

"A vida não é como deveria ser. Ela é do jeito que é. A forma pela qual você lida com ela é que faz a diferença."

Virginia Satir

ARREPENDIMENTOS

Não deixe que o arrependimento em relação ao passado acabe com o presente.

Faça uma lista do que há de bom em sua vida agora. Medite pensando nesses aspectos.

Respire. Concentre-se no presente, no momento, apreciando o fato de estar vivo. Deixe a mente se fixar em um dos arrependimentos. Imagine esse arrependimento como um castelo de areia se esfarelando, sendo destruído pelo vento e lavado pelo mar.

Deixe para lá.

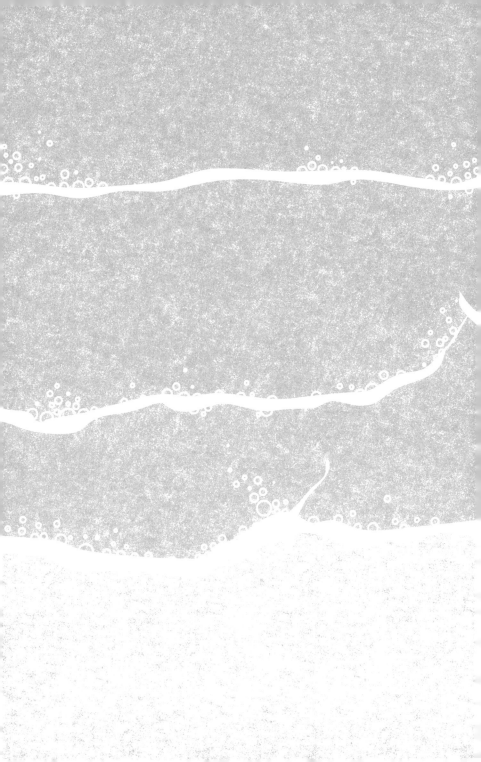

"O que passou e já não tem
remédio, lastimar não devemos."

Shakespeare, *Conto de inverno*

UMA VIDA PLENA

Mindfulness *diz respeito a apreciar os pequenos momentos tão bem quanto os grandes. Experimente fazer dois itens desta lista todos os dias.*

Lembre-se de três coisas que ama em você.

Procure algo para apreciar onde quer que esteja: uma refeição simples, o sorriso no rosto de um estranho ou o ruído vigoroso de um trem passando.

Concentre-se em expirar a negatividade e inspirar a positividade.

Seja honesto consigo mesmo, acima de tudo.

Viva um dia de cada vez.

"Todos nós envelhecemos, é inevitável. E todos nós vamos morrer. Até esse momento chegar, estamos vivos a cada segundo. Envelhecer também faz parte da vida. Devemos valorizar cada dia como se fosse um presente, sempre buscando o lado positivo e aproveitando cada oportunidade para se mover, comer, beber, sentir, ver e ouvir. Aprecie e valorize a si mesmo como um ser humano sem igual."

Corinne Sweet

AUXÍLIO

Retiros de *Mindfulness*

Plum Village
Lar de Thich Nhat Hanh.
Tem programas de um dia.
www.plumvillage.org

London Insight Meditation
www.londoninsight.org

The Abbey Sutton Courtenay
www.theabbey.uk.com

Middle Piccadilly
www.middlepiccadilly.com

Organizações úteis

Corinne Sweet
Psicoterapia, MBCT
e *Mindfulness*.
Terapia individual e *coaching*.
www.corinnesweet.com

Spectrum Therapy
Oferece cursos profissionais
para o desenvolvimento da
psicoterapia humanista,
usando técnicas de formação
em psicologia e Gestalt
que ajudam as pessoas a
viverem mais no agora.
7 Endymion Road
Londres N4 1EE
020 8341 2277
www.spectrumtherapy.co.uk

Action for Happiness
Organização criada com
objetivo de promover
a felicidade no Reino
Unido, inspirada pelo
professor Richard Layard
e por Matthieu Ricard.
www.actionforhappiness.org

LIVROS

Change Your Life with CBT: How Cognitive Behavioural Therapy Can Transform Your Life, Corinne Sweet (Pearson, 2010).

Inteligência emocional, Daniel Goleman (Objetiva, 1995).

Full Catastrophe Living: How to Cope with Stress, Pain and Illness Using Mindfulness Meditation, Jon Kabat-Zinn (Piatkus, 2013).

Felicidade: a prática do bem-estar, Matthieu Ricard (Palas Athena, 2012).

Mindfulness: a Practical Guide to Finding Peace in a Frantic World, Mark Williams e Danny Penman (Piatkus, 2014).

REFERÊNCIAS DAS CITAÇÕES

Página 27: Matthieu Ricard, *Felicidade: a prática do bem-estar* (Palas Athena, 2012).

Página 31: William Wordsworth, "Eu vagava qual nuvem flutuando", in *Poesia Selecionada*, tradução de Paulo Vizioli (Mandacaru, 1988).

Página 41: Daniel Goleman, *Inteligência emocional* (Objetiva, 1995).

Página 51: Eric Berne, *O que você diz depois de dizer olá?* (Nobel, 1988).

Página 61: Louis Proto, *Be Your Own Best Friend: How to Achieve Greater Self-esteem, Health and Happiness* (Piatkus, 2002).

Página 65: John Stuart Mill, *Autobiografia* (Iluminuras, 2007).

Página 77: Edward Fitzgerald, *Rubáyiát de Omar Khayyám*, tradução de Gentil Saraiva Júnior (Gentil Saraiva Júnior, 2014).

Página 81: Joan Baez, *Daybreak* (Dial Press, 1968).

Página 85: Albert Einstein, *The Expanded Quotable Einstein* (Princeton University Press, 2000).

Página 91: Jon Kabat-Zinn, *Full Catastrophe Living: How to Cope with Stress, Pain and Illness Using Mindfulness Meditation* (Piatkus, 2013).

Página 109: Kahlil Gibran, *O Profeta*, tradução de Mansour Chalita (Acigi, 1997).

Página 119: Henry David Thoreau, *Letters to Various Persons* (1865).

Página 129: Horácio, *Odes*.

Página 133: Robert Allen, 365 *Pep Talks from Buddha* (MQ Publications, 2003).

Página 137: Angie Buxton-King, *The NHS Healer: How My Son's Life Inspired a Healing Journey* (Virgin Books, 2010).

Página 141: Carl G. Jung, *Memórias, sonhos, reflexões* (Nova Fronteira, 1986).

Página 153: Rachel Carson, *The Sense of Wonder* (HarperCollins, 1998).

Página 159: Lucrécio, *Da Natureza*, in *Os pensadores — Epicuro, Lucrécio, Cícero, Sêneca e Marco Aurélio* (Abril Cultural, 1985).

Página 163: Elisabeth Kübler-Ross, *Sobre a morte e o morrer* (Martins Fontes, 1996).

Página 167: Oscar Wilde, *Letter to Robert Ross*

Página 175: Lao-Tsé, *Tao Te Ching*, tradução de Wu Jyh Cherng (Mauad, 2011).

Página 179: Marco Aurélio, *Meditações*, in *Os Pensadores — Epicuro, Lucrécio, Cícero, Sêneca e Marco Aurélio* (Abril Cultural, 1985).

Página 185: Kahlil Gibran, *O Profeta*, tradução de Mansour Chalita (Acigi, 1997).

Página 191: Irvin D. Yalom, *De frente para o Sol: Como superar o medo da morte* (Agir, 2008).

Página 203: Stanley Keleman, *O corpo diz sua mente* (Summus, 1996).

Página 215: William Shakespeare, *Como gostais e Conto de inverno*, tradução, apresentação e notas de Beatriz Viégas-Faria (L&PM Pocket, 2011).

AGRADECIMENTOS

Sinceros agradecimentos à Jane Graham Maw da Graham Maw Christie, minha agente literária, por me manter em estado de *mindfulness*, e à Cindy Chan da Pan Macmillan pelas excelentes orientações e edições. Agradeço também a minhas colegas terapeutas Vicky Abram, sempre animadora, desafiadora e maravilhosa; à Debbie Isaacs pelo entusiasmo e apoio; à Alan Pleydell e Lucy West pela experiência pessoal e ideias; à Alegra Druce, Dominic Goldberg, Silvia Lautier, Val Lementayer, Ally Burcher, Bob Lentell, Polly Farquharson, Gill Doust, Paul Allsop, Terry Cooper, Oriel Methuen e todos da Spectrum Therapy pelo apoio maravilhoso. Também agradeço muito à Sue Pratt e Josine Meijer. Além disso, agradeço sinceramente, como sempre, à família que há muito sofre comigo: Rufus Potter e Clara Potter-Sweet pelo amor, apoio e tolerância diários. Por fim, agradeço à Corinne Haynes pelo estímulo constante, apesar de tudo.

Corinne Sweet é psicóloga, psicoterapeuta e autora de títulos de não ficção, como *Change Your Life with CBT*. Jornalista com presença constante em programas de rádio e TV, é uma figura respeitada no mundo da autoajuda e tem o *mindfulness* como uma de suas especialidades.

Marcia Mihotich é designer gráfica e ilustradora residente em Londres que tem entre seus clientes The School of Life, Donna Wilson e *The Guardian*. Ela também é diretora criativa da Rosy Lee Tea London.

Este livro foi composto nas tipologias
Adobe Garamond Pro e Helvetica Neue LT Pro,
e impresso em papel Offset 90g/m², na Prol Gráfica.